Collection *itinérances*

Pippa éditions – 161, rue Saint-Jacques – 75005 Paris
Tél. 01 46 33 95 81 – **www.pippa.fr**

À Rita Liesse

*À Claire Thiellet
et Jannine Maestracci*

CARAVANES CHINOISES
CHINESE CARAVANS

Marie-José Laroche – René Cornet

PIPPA

Pékin

CHINE

Shaanxi

Xi'an

Gansu

Taer Si
Binglinsi
Xiahe

Dunhuang

Qinghai

Turfan

Xinjiang

Kashgar
Lac Karakol

LA ROUTE DE LA SOIE

Aller de Xi'an à Kashgar et plus loin encore, pour le voyageur d'aujourd'hui, c'est avant tout rêver…

Rêver à cet immense réseau de pistes caravanières qui, durant plus de quinze siècles, relia la Chine à la Méditerranée et auquel, au XIXᵉ siècle seulement on donna le nom générique de « Route de la Soie ».

Voies ancestrales tributaires de la dure géographie de l'Asie centrale où, de places fortes en oasis, s'échangeaient les étoffes rares, notamment la soie, cette marchandise emblématique dont seuls les Chinois ont longtemps et jalousement détenu le secret de fabrication.

Dans les caravansérails, fourrures, tapis, épices, pierres et métaux précieux, porcelaines et autres denrées de luxe passaient de main en main.

Ce fut aussi la route des conquérants, des migrations forcées ou non, des aventuriers, des pèlerins et des pillards. Tous emportaient avec eux leurs idées, leurs différentes cultures et leurs croyances et influencèrent, consciemment ou non, les civilisations rencontrées.

Arpenter ces pistes, c'est toujours un émerveillement. C'est aller à la rencontre d'un autre temps, d'une autre nature, d'autres espaces et surtout d'autres gens, dans un tout où imaginaire et réalité ne cessent de se mêler.

THE SILK ROAD

Going from Xi'an to Kashgar, or even beyond is first and foremost, to dream.

To dream of this immense network of caravan pathways, which for centuries connected China to the Mediterranean, and which gained its generic name "The Silk Road" only in the nineteenth century.

These ancestral routes are a tribute to the harsh geography of Central Asia, where in the fortified towns and by the oases, rare and precious fabrics would be traded, especially silks, emblematic goods of a China that long and jealously kept the production method secret.

In the caravanserais, furs, carpets, spices, precious stones and ores, porcelain and other luxury goods would change hands.

This was also a road of conquests, of pillaging, of forced and voluntary migrations, of adventurers, pilgrims and pillagers. Each traveller carried with him his own ideas, his different cultures and creeds, which, consciously or not, influenced the various civilisations encountered along the way.

To haunt these paths is to be constantly amazed, to come face-to-face with another age, another nature, other atmospheres and most importantly other people, to enter a world where reality and the imaginary intertwine.

XI'AN

Pour les courageux caravaniers de la soie, le voyage commençait ou s'achevait à Xi'an.

Mais sait-on que, sous le nom de Chang'an, cette ville fut douze fois capitale de l'Empire et, avec deux millions d'habitants, l'égale de Rome ou de Constantinople ? Longtemps assoupie, elle reprit vie en 1974, lorsque fut découvert le mausolée du premier empereur de Chine.

Aujourd'hui ville tentaculaire à l'activité débordante de jour comme de nuit, elle dépasse largement son enceinte de 12 km, et abrite maintes traces de son illustre passé : pagodes, temples, forêt de stèles, riches musées…

Près de la Grande Mosquée d'inspiration chinoise, un important quartier hui (musulman chinois) de petits commerces et restaurants populaires fait le bonheur des visiteurs en quête de souvenirs.

Mais le moment fort à Xi'an reste la rencontre avec les quelque 7 000 soldats et chevaux d'argile qui, depuis vingt-deux siècles, montent la garde non loin du tombeau de leur maître l'empereur Qin Shiuangdi. Le soir venu, encore tout étourdi par tant de merveilles, chacun savoure, entre les Tours de la Cloche et du Tambour, un moment mérité de détente sur la place illuminée de mille feux et zébrée de cerfs-volants multicolores.

XI'AN

For the bravest of the caravaneers, the voyage began where Xi'an ended. Unbeknown to many, on twelve occasions this city was the capital of China, under the name of Chang'an. It once had two million inhabitants, making it the equal in terms of size of Rome or Constantinople. Long neglected, it has recently become very dynamic since the discovery in 1974 of the mausoleum of the first emperor of China.

Nowadays this sprawling city stretches 12 kilometres beyond its own walls, and is buzzing day and night. There are still many traces of its glorious past, the pagodas, the temples, the forest of Steles, the rich museums…

Near the Great Mosque of Chinese inspiration, a busy neighbourhood houses the Hui population (Chinese Muslims), and contains many shops and popular restaurants that delight foreigners out hunting for souvenirs.

But the highlight of Xi'an remains visiting the seven thousand clay soldiers, who have been on duty for twenty-two centuries, guarding the tomb of their master, the Emperor Qin Shi Huangdi.

At dusk, still overwhelmed by so many wonders, one can savour a well-deserved moment's rest, on the square between the Bell Tower and the Drum Tower, lit up by a thousand lights and basking beneath multicoloured kites.

5

91

SOMMAIRE, LÉGENDES ET GLOSSAIRE / *CONTENTS, CAPTIONS AND GLOSSARY*

LES AUTEURS / *THE AUTHORS*

 Marie-José Laroche enseigne la communication graphique à l'École Estienne et à l'université Paris XIII. Accompagnatrice pour l'agence Nouvelles Frontières, elle se rend régulièrement au Proche-Orient et en Asie. Ses photos témoignent des rencontres fugitives, des regards échangés, de ces détails de la vie quotidienne qui font le charme du voyage.

Marie-José Laroche is a teacher of graphic communication at the École Estienne and the Université Paris XIII. A guide for Nouvelles Frontières, she regularly visits Asia and the Middle East. Her photos are a testimony to the fleeting encounters, the brief glances, and other daily life details that make up the charm of travel.

René Cornet, historien et archéologue de formation, a consacré de nombreuses années à l'enseignement supérieur pédagogique et à la direction de divers établissements scolaires. Il vit en Belgique et, avec sa femme, sillonne le monde, sans cesse à la recherche de l'Autre.

René Cornet, historian and archaeologist, has dedicated numerous years to university education and to the administration of various schools. He lives in Belgium and with his wife travels the globe, constantly seeking encounters.

REMERCIEMENTS / *ACKNOWLEDGEMENTS*

Merci à Rita Liesse, ma femme, qui m'a beaucoup aidé dans l'écriture de ce livre.
Thanks to Rita Liesse, my wife, who greatly helped me in writing this book.

© 2008 – **PIPPA éditions** – 161, rue Saint-Jacques – 75005 Paris – Tél. : 01 46 33 95 81 – **www.pippa.fr**

Responsable éditoriale / *Publishing director* : Brigitte Peltier

Responsable artistique / *Artistic director* : André Arnold-Peltier, assisté de / *assisted by* Sophie Peltier

Rédaction et relecture / *Rewriting & proof reading* : Marie-Suzanne Langlade

Traduction / *Translation* : Frederick Ladbury

Maquette couverture et intérieur / *Front cover and inside layout* : Marie-José Laroche

Atelier Christian Millet – millet@club-internet.fr – Tél. 01 47 07 47 87

Imprimé par / *Printed by* : Lego, Vicenza, Italie

Dépôt légal : mai 2008

ISSN : 1956-4368

ISBN : 978-2-916506-13-5

AU PAYS DU LŒSS

Fleuve mère, Fleuve du Paon, Grand Dragon d'or…, autant de noms chantants donnés à l'irascible, imprévisible et erratique Fleuve Jaune (Huang He) qui, depuis des temps immémoriaux, a façonné l'étonnant paysage en terrasses faites de lœss patiemment accumulé à chaque crue, souvent dévastatrice hélas…

Sur chaque versant transformé en escalier géant aussi bien que dans la plaine, c'est une vie agricole intense et variée qui se déploie.

En été, le riz sèche partout : gerbes dressées en cônes dans les petites cours des fermes et grains sur le bord des routes. Tout cela, au rythme d'une Chine séculaire quasi inchangée.

Et sur le fleuve, les radeaux en outres de mouton de Marco Polo continuent à naviguer.

Plus loin, dans un décor grandiose de pics déchiquetés et de montagnes colorées et encaissées, un haut lieu du passé s'offre au visiteur ébloui venu par le fleuve : les 394 grottes sanctuaires peintes et sculptées de Binglinsi précédées d'un colossal Bouddha assis, creusé dans la falaise et surmontant les eaux.

IN THE LAND OF THE LOESS

Mother river, Peacock river, Great Golden Dragon… so many evocative names given to the irascible, unpredictable and erratic Yellow River (Huang He), which has, since time immemorial, moulded the stunning landscape into many terraces, made out of loess gathered after each, often devastating, flood.

On each slope, patiently transformed into a giant staircase, and in every plain, an intense and diverse agricultural life goes on.

In summer, rice is laid out to dry everywhere, bunched up into cones in the small farm courtyards or spread out in grains by the roads, all of this activity taking place at the steady rhythm of an almost unchanged secular China.

On the river, Marco Polo's sheepskin rafts cruise gently by.

Further along the river, amongst a grandiose décor of sharp needles and coloured mountains, an important piece of the past appears, to dazzle us as we arrive: preceded by a colossal Buddha, carved into the cliff face, overlooking the water, the 394 temple Binglingsi caves.

15

17

UNE TOUT AUTRE CHINE

Venu de Xi'an, le voyageur aborde ici, sans conteste, une tout autre Chine. Celle de l'Amdo ou Tibet oriental, dans le Qinghai, au nord-est du Tibet de Lhassa. Univers différent qui fascine par ses paysages, ses habitants, leur culture et leurs croyances. Sur ce plateau de haute altitude, hérissé de chaînes de montagnes arides et escarpées, d'immenses ondulations de verts pâturages ponctués de yourtes blanches et de petits champs d'orge ou de blé se partagent le paysage.

Partout paissent, sous la garde de bergers nomades ou semi-nomades et de chiens féroces, de grands troupeaux de yaks, de chevaux et de moutons. Et le long des routes et des pistes tantôt en bon état, tantôt défoncées, s'égrènent minarets et stupas* dans de petits villages isolés aux modestes maisons de pisé.

Les richesses des grands monastères lamaïstes, les impressionnantes cérémonies qui s'y déroulent, la ferveur des dévots qui se pressent, les arbres à prières, les bannières colorées qui flottent partout montrent que la religion est en Amdo pratique quotidienne… On est ici dans une sorte de bout du monde, un peu hors du temps.

A DIFFERENT CHINA

Coming from Xi'an, undoubtedly the traveller enters another China here. That of Amdo or Eastern Tibet, in the Qinghai, to the North-East of Lhasa: a different universe that fascinates with its landscapes, its inhabitants, their culture and their beliefs.

On this elevated plateau, surrounded by arid and steep mountain ranges, vast undulating expanses of grazing lands are punctuated here and there by a few white yurts, and some small wheat or barley fields.

Everywhere large herds of yaks, horses or sheep are wandering, carefully guarded by nomad or semi-nomad shepherds, accompanied by fierce dogs.

Along the roads, whose condition may vary from pristine to unkempt, minarets and stupas can be seen in the small isolated villages with modest pise houses.*

The wealth of the great Lamaist monasteries, with their impressive ceremonies, the devotion of their pilgrims, the prayer trees and the ubiquitous flying coloured banners show that in Amdo, religion is part of everyday life. In some ways, we have reached a far corner of the world that is above and beyond time.

25

29

A L'OMBRE DU BOUDDHA

Les monastères de Labrang (Labulengsi) à Xiahe et de Kumbum (Ta'ersi) près de Xining font partie des six grandes lamaseries de la secte des Bonnets Jaunes (Gelugpa) du bouddhisme tibétain.

Tous deux ont heureusement échappé aux tourmentes de la révolution culturelle chinoise.

À Labrang comme à Kumbum, au-delà d'un quartier chinois de boutiques pour pèlerins et touristes, se déploient les vastes cités-monastères à la fois musées, bibliothèques, lieux de culte, de prière et d'étude.

Tout ici surprend : le dédale des ruelles de terre où, entre temples, stupas, collèges et logis, déambulent moines et moinillons en tunique lie-de-vin, l'atmosphère prenante des cérémonies, les chants lancinants et les sons graves des trompes…

Dans une ferveur extraordinaire, des dévots aux visages tannés par le vent et le soleil circulent sans discontinuer autour des dagobas* ; d'autres se prosternent dans la poussière ou font tourner d'innombrables moulins à prières en psalmodiant des mantras*.

Les femmes tibétaines aux longues nattes, en costumes traditionnels ornés de broderies colorées, sont parées d'ambre et de turquoise ; les hommes portent la chuba* aux larges manches. De tout cela, on ressort magnifiquement étourdi !

IN THE SHADOW OF BUDDHA

The monasteries of Labrang (Labulengsi) at Xiahe and Kumbum (Taer Si) near Xining are part of the six great lamaseries of the Yellow Hats Sect (Gelugpa) of Tibetan Buddhism.

Fortunately, both were unaffected by the upheavals of the Cultural Revolution.

In Labrang as in Kumbum, beyond the Chinese areas filled with shops aimed at tourists or pilgrims, are the vast monastery-cities, simultaneously museums, libraries, places of worship, prayer and study.

Everything is surprising here, the maze of streets, where between temples, stupas, schools and houses monks walk by in their wine coloured tunics, the close ceremonial atmosphere, the monotone singing and the deep bellow of trumpets are heard.

In extraordinary displays of faith, people stroll incessantly around the dagobas, their faces worn by the sun and the wind; others kneel in the dust or work on countless prayer mills, gently humming mantras*.*

Tibetan women, with their long plaits, wear traditional costumes embellished with coloured embroidery, and are adorned with amber and turquoise; men wear the long-sleeved chuba.*

One leaves such a place dazzled by its beauty.

AUX PORTES DE L'EMPIRE

Comme dans maintes cités chinoises, la ville industrielle récente de Jiayuguan comporte un centre moderne fait de larges avenues impersonnelles et de vastes places propices à la détente, à côté de quartiers populaires où chacun, après le travail, jusque tard dans la nuit, fait ses achats ou déguste de savoureuses brochettes.

Au sud-ouest de la ville, sur un fond de montagnes enneigées, en plein désert de Gobi, se dresse un fort aux imposantes murailles crénelées, avec des tours de guet coiffées d'élégantes toitures de pagodes.

Ici, sous les Ming, se terminait la Grande Muraille faite de matériaux locaux, argile et paille, dont de larges sections courent encore dans la plaine ou serpentent sur la crête des montagnes.

Passage obligé de la route de la soie entre la Mongolie au nord et le plateau tibétain du Qinghai au sud, c'était jadis l'extrémité du monde « civilisé » chinois face aux « Barbares » de l'ouest, même si les territoires contrôlés s'étendaient parfois bien plus loin.

AT THE GATES OF THE EMPIRE

Like many cities in China, the recently built industrial town of Jiayuguan has a modern centre, with wide, soulless avenues and large spaces for relaxing in, next to many more lively areas, where people go to shop, or to eat delicious brochettes after work and until late into the night.

To the southwest of the town, against a backdrop of snow-capped mountains, in the middle of the Gobi Desert, lies a fort surrounded by an imposing crenellated wall, with battlements and watchtowers topped with elegant pagoda roofs.

At the time of the Ming dynasty the Great Wall ended here, a wall made out of local materials, mud and straw, and large sections of it can still be seen crossing the plain or winding along the mountain ridges.

A place to be seen on the silk road, between Mongolia to the north and the Tibetan plateau of the Qinghai to the south, it was long ago the edge of the Chinese "civilised" world, as opposed to the "barbarians" to the west, even if the territories controlled often extended far beyond the wall.

DUNHUANG
AUX PORTES DU GOBI

Jadis dernière ville-étape chinoise avant la dangereuse piste contournant le Taklamakan par le sud, Dunhuang fut longtemps une ville commerciale très prospère.

Non loin de là, le site de Mogao, à la lisière du désert de Gobi, est devenu un haut-lieu du tourisme chinois.

On y a découvert, il y a plus d'un siècle, un magnifique ensemble de 492 grottes bouddhiques peintes, des milliers de sculptures et d'innombrables manuscrits précieux hélas dispersés depuis de par le monde.

Une prodigieuse source de renseignements sur la vie en Chine du IVe au XIVe siècle.

Au sud de l'oasis de Dunhuang, on peut encore rêver. Si, du haut de leurs chameaux numérotés, les touristes aux bottes orange fluo ont remplacé les caravanes d'antan, la magie du désert est toujours là pour qui s'écarte des sentiers battus.

Au sommet des immenses dunes de sable jaune de Minsha, gravies non sans peine, face au petit Lac du Croissant de Lune, le temps semble s'arrêter. Seuls subsistent l'espace et le silence. Envoûtants, attirants et inquiétants à la fois. Comme ils l'ont toujours été.

DUNHUANG
AT THE GATES OF THE GOBI

Long ago the last Chinese town where one could stop before the dangerous route around the Taklamakan from the south, Dunhuang was for a long time a highly prosperous merchant city.

Not far away, on the very edge of the Gobi Desert, Mogao has become an important Chinese tourist attraction.

Over a century ago, a magnificent set of 492 painted Buddhist caves was discovered here, along with thousands of sculptures and countless precious manuscripts, which sadly have since been dispersed all over the globe: they represent a magnificent source of knowledge on life in China from the fourth to the fourteenth century.

South of the oasis of Dunhuang, one can still dream. From atop their numbered camels, tourists wearing bright orange boots have replaced the caravans of old, but the wonders of the desert are still there for who dare venture off the beaten track.

At the top of the huge yellow sand dunes of Mingsha, climbed not without some effort, facing the small Crescent Moon Lake, time seems to hold its breath. Only space and silence remain. Bewitching, captivating and worrying at the same time. As they have always been.

TURFAN

Turfan, oasis miraculeuse née de l'eau des glaciers des Monts Célestes (Tian Shan) et de l'ingéniosité des hommes, s'étend au cœur d'une vaste dépression désertique, point le plus bas (– 153 m) et le plus chaud de Chine (parfois 49,6 °C).

Dans cette « ville à la campagne », l'étranger qui se promène à l'ombre des longues et larges allées piétonnes recouvertes de treilles chargées de raisins, ou qui flâne presque seul dans les jardins au pied de l'admirable minaret de l'austère mosquée d'Emin, découvre une cité étonnamment calme, silencieuse, nonchalante même.

Dans les campagnes écrasées de chaleur, les paysans ouïghours cultivent surtout la vigne.

Ils entretiennent les karez, cet immense réseau de canaux artificiels d'irrigation, le plus souvent souterrains, qui amène l'eau des montagnes, et disposent les grappes dans les séchoirs cubiques ventilés par des murs ajourés.

Le soir venu, ils écoulent leur production le long des routes ou acheminent les fruits à la coopérative vinicole et au bazar de la ville.

TURFAN

Turfan, miraculous oasis, born of the water from the glaciers of the Celestial Mountains (Tian Shan) and of the creativity of men, the city stretches out in the heart of a deserted depression simultaneously the lowest (153 metres below sea level) and the hottest place in China (49.6 Celsius on occasions).

In this rural town, the foreign visitor can stroll in the shade of long and broad pedestrian alleyways covered in climbing vines, laden with grapes. He can enter the gardens at the foot of the wonderful minaret of the austere mosque of Emin, and discover, almost alone, a surprisingly calm, quiet, even nonchalant city.

In the fields crushed by the heat, Uyghur peasants cultivate mainly vines.

They maintain the kerez, the vast network of artificial irrigation canals, most of them underground, that brings water from the mountains, and put the grapes in cubical dryers, aired by pierced walls.

In the evening, they sell their produce along the roads or they bring fruits to the local winemaking cooperative and to the town's bazaar.

59

61

RIEN N'EST ÉTERNEL…

Le climat sec de la région de Turfan a favorisé la conservation de nombreux vestiges de pisé et de briques crues qui, ailleurs, seraient depuis longtemps retournés à la terre.

Les restes imposants de vastes cités bouddhiques ultérieurement converties à l'islam témoignent encore d'une gloire révolue.

Sur un plateau lœssique desséché et ceinturé de rivières encaissées, Jiaohe domine une plaine luxuriante d'où émergent les séchoirs à raisins.

Gaochang, malgré les outrages des ans et des hommes, étonne encore par son immensité.

Et non loin de là, au pied des monts flamboyants de grès rouge, les grottes chapelles et les cellules des moines de Bezeklik, mutilées jadis par des musulmans iconoclastes et des archéologues occidentaux peu scrupuleux, attestent que le bouddhisme a pénétré ici il y a près de 1 500 ans.

L'incandescence du soleil, la sécheresse de l'air, le vent du désert, la saturation des couleurs… Tout est fort ici ; et donc tout se mérite. Pour celui qui y vit et celui qui y vient. Mais quelle récompense !

NOTHING LASTS FOREVER…

The dry climate in the Turfan region has helped maintain many remains made of pise or adobe that would otherwise have turned to dust long ago.

The massive remains of vast Buddhist cities later converted to Islam are a testament to former glory.

On a dry loess plateau, hemmed in by rivers, Jiaohe towers over a luxuriant plain covered with dryers for the grapes.

Gaochang, despite all the damage done by men and by the centuries, still stuns by its sheer size.

Not far away, at the feet of the flamboyant red sandstone mountains, the chapels created inside the caves, and the Bezeklik monks' cells, long ago both ravaged by iconoclast Muslims and scruple-free western archaeologists, remind us that Buddhism made its way here one thousand five hundred years ago.

The burning sunshine, the dry air, the desert wind, the saturated colours, everything is powerful, therefore everything has to be earned, for those who live here as for those who are visiting. But what a reward!

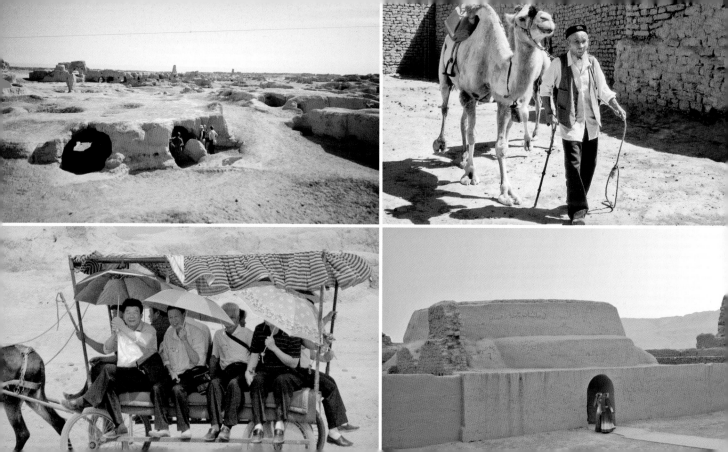

KASHGAR

Kashgar fut longtemps une ville de nulle part. Un bout du monde pour la Chine comme pour l'Europe. Pour s'y rendre, il fallait un an… De nos jours, 24 heures suffisent !

Plaque tournante commerciale vers l'Asie centrale, l'Inde et l'Europe, au sortir du terrible désert du Taklamakan, la Kashgar d'antan n'a pas disparu. Deux mondes s'y côtoient désormais sans trop se mêler : la ville moderne des Hans, colons chinois venus de l'est, et la vieille ville ouïghoure musulmane qui résiste mal à une sinisation programmée.

Comme jadis, tout s'y fabrique dans le quartier des artisans autour de la mosquée d'Id Kah. Et dans le plus grand bazar de l'Asie centrale, tout se vend, tout s'achète, de la pacotille aux étoffes de luxe. Dans l'atmosphère fiévreuse que dut connaître Marco Polo.

Et le dimanche, au marché aux bestiaux, paysans et nomades de toutes ethnies affluent et négocient dans une effervescence extraordinaire selon des pratiques inchangées depuis des siècles.

Visages burinés par les rigueurs du climat, odeurs des bêtes, effluves des kebabs, regards furtifs souriants ou méfiants, discussions, poussière, brouhaha… Souvenirs forts et inoubliables.

KASHGAR

For a long time, Kashgar was a city in the middle of nowhere. A far corner of the world for China and for Europe. To reach it required over a year of travelling, but nowadays, 24 hours will suffice!

A trading gateway towards central Asia, India and Europe, at the end of the terrible desert of Taklamakan, the Kashgar of old has not yet disappeared. Two worlds now coexist without mixing: the modern city, where the Han Chinese colonials from the east live, and the old Muslim Uyghur town which resists with difficulty a programme forcing them to become more Chinese.

As it was long ago, everything is made in the workshops in the area around the mosque of Id Kah. In the largest bazaar of central Asia, anything is for sale, anything can be bought, from junk to luxury fabrics, and all in a frenetic atmosphere that Marco Polo must have known.

On Sundays, peasants and nomads of all creeds and colours come and haggle at the beast market with an effervescent energy, keeping traditions that have not changed for centuries.

The faces worn by the harsh climate, the smell of animals, the exhalations of kebabs, cheerful or worried glances, conversations, dust, noise... so many vivid and unforgettable memories.

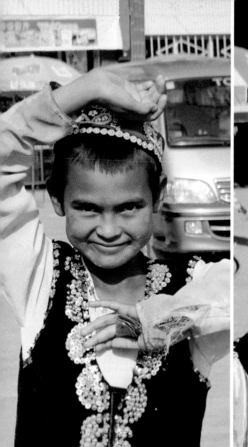

LE LAC KARAKOL

KKH… Trois lettres magiques ! Karakorum Highway, nom donné à la route reliant la Chine au Pakistan, au travers de la chaîne du Karakorum. Dans une zone de frontières sensibles, frôlant le Tadjikistan et l'Afghanistan, cette route stratégique, véritable prouesse technique de 1 300 km, fut réalisée de 1966 à 1986. Elle succède à une piste millénaire périlleuse que d'intrépides marchands, des siècles durant, ont empruntée au risque de leur vie.

Arpenter la KKH, c'est communier avec une nature inconnue en Europe. C'est, depuis Kashgar, une lente ascension à la rencontre d'un univers minéral, d'éboulements imprévisibles, de mornes déserts, de gorges rougeoyantes, d'immenses dunes de sable blanc, de lacs immobiles, de torrents grisâtres en furie et de cimes étincelantes sans cesse renouvelées. Et c'est enfin, posé sur un plateau herbeux, le lac Karakol (3 800 m) dans son écrin de glaciers que surveillent impassiblement le Mustagh Ata (7 546 m) et le Kungur (7 719 m).

Éleveurs kirghizes, yourtes, yaks, chameaux, moutons, lumière, silence, grandeur… Les mots manquent ici pour dire le bonheur.

LAKE KARAKOL

KKH… three magic letters! They refer to the Karakoram Highway, the name given to the road connecting China to Pakistan, through the Karakoram mountain chain.

In a sensitive boarder zone, on the edge of Tajikistan and Afghanistan, this strategic route, a genuine marvel of engineering built between 1966 and 1986, stretches out over 1300 kilometres. It replaced a millennia-old pathway used by intrepid merchants, who would risk their lives taking it.

To travel along the KKH is to commune with a nature unknown in Europe. From Kashgar onwards, the journey is a slow ascension into a mineral world, of unpredictable rockslides, of empty deserts, of crimson gorges, of huge white sand dunes, of immobile lakes, of furious grey rapids, of ever renewed shining mountains tops.

Finally, high upon a grassy plateau is lake Karakol (3800 m), with its surrounding glaciers, austerely overlooked by Mustagh Ata (7546 m) and Kongur (7719 m).

Khirgi farmers, tents, yaks, camels, sheep, light, silence, expanses… words fail when one tries to describe the joy.